CW00695126

Petit recueil de
PENSÉES
RÉPUBLICAINES

Nicole Masson
et Yann Caudal

Petit recueil de
PENSÉES
RÉPUBLICAINES

CHÊNE

Introduction

Dès l'Antiquité, la réflexion politique se développe. Platon consacre des pages fondatrices à l'établissement des règles de la vie dans la cité et Aristote constate que l'homme est un animal politique. À Rome, les différents modes de gouvernement font l'objet de discussions passionnées mais aussi de combats violents. Cet héritage, théorique et pratique, est constamment repris et réexaminé au fil des siècles. Qu'il s'agisse de Machiavel, de Rousseau, Diderot, Tocqueville ou même Engels, les penseurs ont adapté les concepts aux

circonstances historiques nou-
velles. Les hommes politiques
eux-mêmes, notamment les
acteurs de la Révolution française,
n'ont pas manqué de commen-
ter leurs actions et leurs idéaux.
Une rhétorique vigoureuse, un
souffle puissant viennent soutenir ces phrases écrites ou pro-
noncées à la tribune. Elles sont
une source d'inspiration pour
tous ceux qui ont à cœur l'orga-
nisation de nos sociétés, comme
dirigeants ou comme simples
citoyens.

Les pensées que nous avons ici
recueillies rendent compte des
utopies comme des réalisations
concrètes, des aspirations géné-
reuses mais aussi de la confron-
tation parfois rude avec les
réalités de l'exercice du pouvoir.

1

CE PETIT LIVRE n'a d'autre prétention que de concourir à la diffusion des idées républicaines ; s'il atteint son but, je me flatte qu'il aura rendu un grand service à notre chère et malheureuse patrie.

Jules Barni,
philosophe et homme politique français
(1818-1878)

2

CE QUI CONSTITUE une République, c'est la destruction totale de ce qui lui est opposé.

Antoine de Saint-Just,
homme politique français (1767-1794)

3

DE CELUI qui a la faculté de participer au pouvoir délibératif ou judiciaire, nous disons qu'il est citoyen de la cité concernée, et nous appelons cité, en bref, l'ensemble des gens de cette sorte quand il est suffisant pour vivre en autarcie.

Aristote, philosophe grec
(384 av. J.-C. – 322 av. J.-C.)

4

IL N'Y A PAS de bonheur sans liberté ni de liberté sans vaillance.

Thucydide, historien grec
(v. 460 av. J.-C. – apr. 395 av. J.-C.)

5

LIBERTÉ, ÉGALITÉ, FRATERNITÉ.
Rien à ajouter, rien à retrancher.
Ce sont les trois marches
du perron suprême. La liberté,
c'est le droit, l'égalité, c'est le
fait, la fraternité, c'est le devoir.
Tout l'homme est là.

Victor Hugo,
écrivain français (1802-1885)

6

LA LIBERTÉ de l'individu
est un postulat nécessaire
du progrès humain.

Ernest Renan,
écrivain et historien des religions français
(1823-1892)

7

J'APPELLE DONC RÉPUBLIQUE tout État régi par des lois, sous quelque forme d'administration que ce puisse être : car alors seulement l'intérêt public gouverne et la chose publique est quelque chose. Tout gouvernement légitime est républicain.

Jean-Jacques Rousseau,
écrivain français (1712-1778)

8

LA DÉMOCRATIE, c'est le pouvoir pour les poux de manger les lions.

Georges Clemenceau,
homme politique français (1841-1929)

9

LA RÉPUBLIQUE FRANÇAISE
est invincible comme la raison ;
elle est immortelle comme
la vérité. Quand la liberté
a fait une conquête telle que
la France, nulle puissance
humaine ne peut l'en chasser.

*Maximilien Robespierre,
homme politique français (1758-1794)*

10

LES GOUVERNEMENTS sont
établis par les hommes [...] et
leur juste pouvoir émane du
consentement des gouvernés.

*Déclaration d'indépendance américaine
(1776)*

11

UNE CHOSE devrait faire tremble tous les ministres dans la plupart des États d'Europe, c'est la facilité qu'il y aurait à les remplacer.

Charles de Secondat,
baron de La Brède et de Montesquieu,
écrivain français (1689-1755)

12

JAMAIS EN FRANCE, on n'a pu séparer impunément ces deux forces vivantes : l'idée républicaine et la passion révolutionnaire du peuple.

Léon Blum,
homme politique et écrivain français
(1872-1950)

13

LA SOCIÉTÉ est bien gouvernée quand les citoyens obéissent aux magistrats et les magistrats aux lois.

Solon, homme d'État athénien
(v. 640 av. J.-C. – v. 558 av. J.-C.)

14

IL Y A DEUX VÉRITÉS qu'il ne faut jamais séparer en ce monde : la première est que la souveraineté réside dans le peuple, la seconde est que le peuple ne doit jamais l'exercer.

Antoine Rivarol, dit le comte de Rivarol,
écrivain français (1753-1801)

15

JE CROIS qu'une République, tout
en proscrivant les dictateurs et
les triumvirs, n'en a pas moins
le pouvoir et même le devoir
de créer une autorité terrible.
Telle est la violence de la
tempête qui agite le vaisseau
de l'État, qu'il est impossible
pour le sauver, d'agir avec
les seuls principes de l'art.

Georges Danton,
homme politique français (1759-1794)

16

IL FAUT BIEN que je les suive,
puisque je suis leur chef.

Alexandre Auguste Ledru,
dit Ledru-Rollin, homme politique français
(1807-1874)

17

LE PEUPLE est le seul sur lequel nous puissions compter pour préserver notre liberté.

Thomas Jefferson,
homme d'État américain (1743-1826)

18

PLUS ON A DE POUVOIR, moins on doit en abuser.

Sénèque le Philosophe,
philosophe latin (v. 4 av. J.-C. – 65)

19

LA JUSTICE est la reine des vertus républicaines et près d'elle, se tiennent la liberté et l'égalité.

Simón Bolívar,
général et homme d'État sud-américain
(1783-1830)

20

L'UN DES PRÉJUDICES d'avoir
refusé de prendre part à la vie
politique est que vous finissez
par être gouverné par vos
subordonnés.

*Platon, philosophe grec
(v. 427 av. J.-C. – v. 348 ou 347 av. J.-C.)*

21

LA RÉPUBLIQUE est aujourd'hui
le gouvernement du fait,
en même temps qu'elle est
celui du droit.

*Jules Barni,
philosophe et homme politique français
(1818-1878)*

22

MOI, TOUT ; le reste rien :
voilà le despotisme,
l'aristocratie et ses partisans.
Moi, c'est un autre ; un autre,
c'est moi : voilà le régime
populaire et ses partisans.

Sébastien Roch Nicolas, dit Chamfort,
écrivain français (1740-1794)

23

LES RÉPUBLIQUES
démocratiques mettent l'esprit
de cour à la portée du grand
nombre et le font pénétrer
dans toutes les classes à la fois.
C'est un des principaux
reproches qu'on peut leur faire.

Alexis de Tocqueville,
homme politique et historien français
(1805-1859)

24

LE PREMIER caractère
de la liberté est l'alternative
du commandement et
de l'obéissance.

Aristote, philosophe grec
(384 av. J.-C. – 322 av. J.-C.)

25

LE DRAPEAU TRICOLORE
a fait le tour du monde, avec
le nom, la gloire et la liberté
de la patrie.

Alphonse de Prat de Lamartine,
poète et homme politique français
(1790-1869)

26

LE POUVOIR est la surveillance
du tout.

Platon, philosophe grec
(v. 427 av. J.-C. – v. 348 ou 347 av. J.-C.)

27

ON PROUVE, on démontre aujourd'hui la République. Quand elle était vivante on ne la prouvait pas.

Charles Péguy,
écrivain français (1873-1914)

28

SANS UNE VIE PUBLIQUE politiquement garantie, il manque à la liberté l'espace mondain où faire son apparition.

Hannah Arendt,
philosophe américaine d'origine allemande
(1906-1975)

29

QUELQUE PRIX qu'il en coûte, soyons libres.

Romain Rolland,
écrivain français (1866-1944)

30

ON PEUT APPELER heureuse
la République à qui le destin
accorde un homme tellement
prudent, que les lois qu'il lui
donne sont combinées de
manière à pouvoir assurer
la tranquillité de chacun
sans qu'il soit besoin d'y porter
la réforme.

Nicolas Machiavel,
homme politique et écrivain italien
(1469-1527)

31

L'HOMME LIBRE est celui qui
n'a pas peur d'aller jusqu'au bout
de sa pensée.

Léon Blum,
homme politique et écrivain français
(1872-1950)

32

DES RÉPUBLICAINS de l'espèce dite « républicains farouches » ne sont autres que des autocrates retournés. Ils disent : « La République, c'est nous ! » absolument comme Louis XIV disait : « L'État, c'est moi ! »

Victor Hugo,
écrivain français (1802-1885)

33

LES NATIONS sont sages, grandes et florissantes dans la mesure où elles sont instruites et policées.

Yvon Delbos,
homme politique français (1885-1956)

34

TOUT CE QUE l'expérience montre d'utile à la République pour l'usage réciproque des choses de la vie doit être estimé juste, pourvu que chacun y trouve son avantage ; de sorte que, si quelqu'un fait une loi qui par la suite n'apporte aucune utilité, elle n'est point juste de sa nature.

Épicure,
philosophe grec (IIIe siècle av. J.-C.)

35

LA PAROLE est au peuple. La parole du peuple, c'est la parole du souverain.

Charles de Gaulle,
homme d'État français (1890-1970)

36

INSTRUIRE, c'est construire l'armature de l'esprit, autour de laquelle viendront s'agréger, à leur heure, les connaissances complémentaires. Instruire, c'est surtout apprendre à apprendre.

Édouard Herriot,
homme politique français (1872-1957)

37

UN HOMME ne se mêlant pas de politique mérite de passer, non pour un citoyen paisible, mais pour un citoyen inutile.

Thucydide, historien grec
(v. 460 av. J.-C. – apr. 395 av. J.-C.)

38

LE RÉGIME POPULAIRE **porte**
le plus beau nom qui soit :
« égalité ».

Hérodote, historien grec
(v. 484 av. J.-C. – v. 420 av. J.-C.)

39

TOUTE INSTRUCTION aboutit
à la République comme toute
ignorance mène à la monarchie.

Henri Maret,
théologien français (1805-1884)

40

UN BULLETIN de vote est plus
fort qu'une balle de fusil.

Abraham Lincoln,
homme d'État américain (1809-1865)

41

LA DÉMOCRATIE ne consiste pas à mettre épisodiquement un bulletin dans une urne, à déléguer les pouvoirs à un ou plusieurs élus puis à se désintéresser, s'abstenir, se taire pendant cinq ans. Elle est action continuelle du citoyen non seulement sur les affaires de l'État, mais sur celles de la région, de la commune, de la coopérative, de l'association, de la profession.

Pierre Mendès France,
homme politique français (1907-1982)

42

OÙ IL N'EXISTE point
de distinctions, il ne peut
y avoir de supériorité ; l'égalité
parfaite ne donne point d'accès
aux tentations. Toutes les
Républiques de l'Europe sont
dans une paix continuelle ;
la Hollande et la Suisse n'ont
ni guerres étrangères ni guerres
intestines. Au contraire,
le repos des monarchies n'est
jamais durable.

Thomas Paine,
écrivain et homme politique anglais
(1737-1809)

43

LES INSTITUTIONS républicaines,
pour se fonder et durer,
supposent des mœurs
républicaines.

Jules Barni,
philosophe et homme politique français
(1818-1878)

44

LA JUSTICE comprend en elle
seule toutes les vertus.

Aristote, philosophe grec
(384 av. J.-C. – 322 av. J.-C.)

45

JE SUIS DU PEUPLE, je n'ai jamais
été que cela, je ne veux être
que cela ; je méprise quiconque
a la prétention d'être quelque
chose de plus.

Maximilien Robespierre,
homme politique français
(1758-1794)

46

LIBERTÉ, que de crimes on
commet en ton nom.

Jeanne-Marie ou Manon Phlipon,
Mme Roland de La Platière,
femme politique et femme de lettres
française (1754-1793)

47

LA RÉPUBLIQUE, c'est un équitable partage entre les enfants de la France du gouvernement de leur pays, en proportion de leurs forces, de leur importance, de leurs mérites, partage possible, praticable, sans exclusion d'aucun d'eux, excepté de ceux qui annoncent qu'ils ne veulent la gouverner que par la révolution.

Adolphe Thiers,
homme politique, journaliste
et historien français (1797-1877)

48

LA RÉPUBLIQUE porte
en elle-même une vertu
précieuse : elle est le seul régime
perfectible par nature.

Roger Martin du Gard,
écrivain français (1881-1958)

49

L'INÉGALITÉ d'instruction
est une des principales sources
de la tyrannie.

Marie Jean Antoine Nicolas de Caritat,
marquis de Condorcet, philosophe,
mathématicien et homme politique français
(1743-1794)

50

ON PEUT CORROMPRE
les hommes par petits groupes,
on ne peut pas les corrompre
en masse. On empoisonne
un verre d'eau, on n'empoisonne
pas un fleuve ; une assemblée
est suspecte, une nation est
incorruptible comme l'océan.

Alphonse de Prat de Lamartine,
poète et homme politique français
(1790-1869)

51

CE QUI IMPORTE dans un vote,
ce n'est pas ceux qui votent,
ce sont ceux qui comptent.

Iossif Vissarionovitch Djougachvili,
dit Joseph Staline,
homme d'État soviétique (1878-1953)

52

JE SUIS DE CEUX qui pensent que
la République ne doit pas renier
ses origines et qu'elle doit,
tout au contraire, se pencher,
avec fidélité, avec respect,
sur les grandes heures qui ont
marqué sa naissance.

Jean Moulin,
homme politique et résistant français
(1899-1943)

53

LA RÉPUBLIQUE nous appelle ;
Sachons vaincre, ou sachons
périr :
Un Français doit vivre pour
elle :
Pour elle un Français doit
mourir.

Marie-Joseph Chénier,
dramaturge et poète français (1764-1811)

54

LE BUT de tout homme
qui commande aux autres
doit être de rendre heureux
ceux qui se trouvent sous son
empire. Diriger, ordonner ce
qui est juste, ce qui est utile, ce
qui s'accorde avec les lois, telles
sont les fonctions des
magistrats. Les lois sont
au-dessus des magistrats ;
ceux-ci sont au-dessus du
peuple ; et l'on peut dire avec
vérité que le magistrat est une
loi parlante, et la loi un
magistrat muet.

Cicéron, orateur et homme politique
romain (106 av. J.-C. – 43 av. J.-C.)

55

LA SOUVERAINETÉ du peuple,
la souveraineté de la loi,
telles sont les deux bases
sur lesquelles on assoit la
République.

Prosper-Olivier Lissagaray,
journaliste français (1838-1901)

56

GOUVERNEMENT de soi-même,
soit dans l'individu, soit dans
le peuple entier, voilà la liberté.

Jules Barni,
philosophe et homme politique français
(1818-1878)

57

LE PRIX de la liberté c'est la
vigilance éternelle.

Thomas Jefferson,
homme d'État américain (1743-1826)

58

IL Y A deux manières
de combattre, l'une avec
les lois, l'autre avec la force.
La première est propre
aux hommes, l'autre nous
est commune avec les bêtes.

Nicolas Machiavel,
homme politique et écrivain italien
(1469-1527)

59

LE FLAMBEAU de l'étude éclaire
la raison.

Alphonse de Prat de Lamartine,
poète et homme politique français
(1790-1869)

60

LA DÉMOCRATIE n'est efficace
que si elle existe partout en tout
temps. Le citoyen est un homme
qui ne laisse pas aux autres le
soin de décider de son sort
commun. Il n'y a pas de
démocratie si le peuple n'est pas
composé de véritables citoyens,
agissant constamment en tant
que tels.

Pierre Mendès France,
homme politique français (1907-1982)

61

L'AMOUR de la démocratie
est celui de l'égalité.

Charles de Secondat,
baron de La Brède et de Montesquieu,
écrivain français (1689-1755)

62

LE GOUVERNEMENT a pour
mission de faire que les bons
citoyens soient tranquilles,
que les mauvais ne le soient pas
et que les hésitants, que ceux
qui ne savent pas, trouvent
un point d'appui dans la loi.

Georges Clemenceau,
homme politique français (1841-1929)

63

L'ÂME DE LA CITÉ n'est rien
d'autre que la Constitution,
qui a le même pouvoir que
dans le corps la pensée.

Isocrate, orateur grec
(436 av. J.-C. – 338 av. J.-C.)

64

QUAND LA FRANCE aura fait
entendre sa voix souveraine,
croyez-le bien, Messieurs,
il faudra se soumettre
ou se démettre.

Léon Gambetta,
avocat et homme politique français
(1838-1882)

65

LA RÉPUBLIQUE est une idée,
la République est un principe,
la République est un droit.
La République est l'incarnation
même du progrès.

Victor Hugo,
écrivain français (1802-1885)

66

JAMAIS dans une Monarchie
l'opulence d'un particulier
ne peut le mettre au-dessus
du Prince ; mais dans une
République elle peut aisément
le mettre au-dessus des lois.

Jean-Jacques Rousseau,
écrivain français (1712-1778)

67

QUAND LA VERTU et la liberté
de la presse deviennent
intempestives, funestes à la
liberté, la République, gardée
par des vices, est comme une
jeune fille dont l'honneur
n'est défendu que par l'ambition
et par l'intrigue.

Camille Desmoulins,
publiciste et homme politique français
(1760-1794)

68

LA RÉPUBLIQUE a bien affaire
Des gens qui ne dépensent rien !

Jean de La Fontaine,
poète français (1621-1695)

69

LA RÉPUBLIQUE c'est le droit
de tout homme, quelle que soit
sa croyance religieuse, à avoir
sa part de la souveraineté.

Jean Jaurès,
homme politique français (1859-1914)

70

L'ESSENCE de la justice
est de ne nuire à personne,
et de veiller à l'utilité publique.

Cicéron,
orateur et homme politique romain
(106 av. J.-C. – 43 av. J.-C.)

71

L'AVÈNEMENT de la république n'est qu'un leurre s'il n'est pas celui de la justice. Pour en faire une vérité, nous devons donc étudier les bases d'un nouveau contrat social ; nous devons préparer la délivrance de la patrie. La lutte est engagée entre la république et la monarchie, entre le socialisme et la féodalité ; il faut vaincre, et, de notre victoire, se dégagera l'émancipation du citoyen, l'affranchissement des peuples. Vive la république universelle, démocratique et sociale !

Déclaration de l'Association internationale des travailleurs (1870)

72

GOUVERNER, c'est maintenir
les balances de la justice égales
pour tous.

Franklin Delano Roosevelt,
homme d'État américain (1882-1945)

73

CE QUE J'APPELLE République
c'est plutôt une énergique
résistance à l'esprit
monarchique, d'ailleurs
nécessaire partout.

Émile Chartier, dit Alain,
philosophe français (1868-1951)

74

LA DÉMOCRATIE, ce n'est pas
la loi de la majorité, mais
la protection de la minorité.

Albert Camus,
écrivain français (1913-1960)

75

LA FRANCE a compris que le maintien de la république était désormais le seul moyen d'assurer à la fois l'ordre et la liberté, de relever le pays de ses désastres, de le régénérer et de lui rendre le rang qu'il doit occuper parmi les nations.

Jules Barni,
philosophe et homme politique français
(1818-1878)

76

IL FAUT rendre la raison populaire.

Marie Jean Antoine Nicolas de Caritat,
marquis de Condorcet, philosophe,
mathématicien et homme politique français
(1743-1794)

77

LES HOMMES sont tous égaux dans le gouvernement républicain ; ils sont égaux dans le gouvernement despotique : dans le premier, c'est parce qu'ils sont tout ; dans le second, c'est parce qu'ils ne sont rien.

Charles de Secondat,
baron de La Brède et de Montesquieu,
écrivain français (1689-1755)

78

LA DÉMOCRATIE, c'est le gouvernement du peuple exerçant la souveraineté sans entrave.

Charles de Gaulle,
homme d'État français (1890-1970)

79

DANS LA RÉPUBLIQUE moderne, on instaure enfin l'égalité politique pure, égalité encore soumise dans toutes les monarchies à certaines restrictions. Et cette égalité politique, est-ce autre chose que de déclarer que les antagonismes de classes ne concernent en rien l'État, que les bourgeois ont autant le droit d'être bourgeois que les travailleurs prolétaires ?

Friedrich Engels,
théoricien et militant socialiste allemand
(1820-1895)

80

QUAND MÊME le peuple
choisirait celui que ma
prévoyance mal éclairée,
peut-être, redouterait
de lui voir choisir, n'importe :
Alea jacta est ! Que Dieu et
le peuple prononcent ! Il faut
laisser quelque chose à la
providence ! Elle est la lumière
de ceux qui, comme nous,
ne peuvent pas lire dans
les ténèbres de l'avenir !

Alphonse de Prat de Lamartine,
poète et homme politique français
(1790-1869)

81

IL Y A, selon moi, naissance de société du fait que chacun de nous, loin de se suffire à lui-même, a au contraire besoin d'un grand nombre de gens.

Platon, philosophe grec
(v. 427 av. J.-C. – v. 348 ou 347 av. J.-C.)

82

ÉLIRE ET REJETER, est la prérogative d'un peuple libre.

Thomas Paine,
écrivain et homme politique anglais
(1737-1809)

83

LA SOUVERAINETÉ n'est que l'exercice de la volonté générale.

Jean-Jacques Rousseau,
écrivain français (1712-1778)

84

C'EST LA LOI de la démocratie
que les discussions soient libres,
que les intérêts s'opposent, mais
c'est l'intérêt de la République
qu'il s'établisse sur des points
communs une majorité et que
cette majorité soit stable, de
même qu'il serait souhaitable
pour le bien commun que
les oppositions ne fussent pas
seulement de mécontentement
ou de démolition mais de
construction et d'apports
d'idées à la majorité elle-même.

Vincent Auriol,
homme d'État français (1884-1966)

85

C'EST AVEC L'IDÉE des droits
que les hommes ont défini
ce qu'étaient la licence
et la tyrannie.

Alexis de Tocqueville,
homme politique et historien français
(1805-1859)

86

LA POLITIQUE est l'art de
commander à des hommes
libres.

Aristote, philosophe grec
(384 av. J.-C. – 322 av. J.-C.)

87

LA RÉPUBLIQUE est un
grand acte de confiance
et un grand acte d'audace.

Jean Jaurès,
homme politique français (1859-1914)

88

LE PEUPLE m'a nommé pour défendre la Constitution et quelles qu'aient pu être mes opinions, contre ceux qui en ont empêché l'étendue, je déclare maintenant que je ne défendrai le peuple, que je ne terrasserai ses ennemis qu'avec la massue de la raison et le glaive de la loi.

Georges Danton,
homme politique français (1759-1794)

89

IL FAUT D'ABORD savoir ce que l'on veut, il faut ensuite avoir le courage de le dire, il faut ensuite l'énergie de le faire.

Georges Clemenceau,
homme politique français (1841-1929)

90

VOULEZ-VOUS être un bon citoyen ? soyez d'abord bon fils, bon époux, bon père, bon frère ; vous remplirez ainsi vos premiers devoirs, et la République s'en trouvera bien.

Jules Barni,
philosophe et homme politique français
(1818-1878)

91

DE MÊME que je ne voudrais pas être un esclave, je ne voudrais pas être un maître. Telle est ma conception de la démocratie.

Abraham Lincoln,
homme d'État américain (1809-1865)

92

Si tu es prêt à sacrifier un peu
de liberté pour te sentir
en sécurité, tu ne mérites
ni l'une ni l'autre.

*Thomas Jefferson,
homme d'État américain (1743-1826)*

93

Les peuples seront heureux,
lorsque les magistrats
deviendront des philosophes ou
que les philosophes deviendront
des magistrats.

*Platon, philosophe grec
(v. 427 av. J.-C. – v. 348 ou 347 av. J.-C.)*

94

De tous les rapports, le plus
simple, c'est celui d'égalité.

*Denis Diderot,
écrivain français (1713-1784)*

95

QUE LE VIL ROYALISTE,
à genoux au saint-lieu
Au céleste monarque adresse
sa prière !
Le fier Républicain ne peut
admettre un dieu
Pour lui pas plus de maître
au ciel que sur la terre.

Sylvain Maréchal,
écrivain et révolutionnaire français
(1750-1803)

96

L'ORDRE SOCIAL ne vient pas
de la nature ; il est fondé
sur des conventions.

Jean-Jacques Rousseau,
écrivain français (1712-1778)

97

BEAUCOUP de républicains
s'imaginaient qu'on était en
république parce qu'il n'y avait
plus de roi, ignorant qu'un
gouvernement n'est républicain
qu'en raison de l'exactitude avec
laquelle s'incorpore la volonté
du peuple et la met en
exécution.

Prosper-Olivier Lissagaray,
journaliste français (1838-1901)

98

L'ÉGALITÉ est le premier élément
de la félicité, de la paix et
des vertus.

Marie Jean Antoine Nicolas de Caritat,
marquis de Condorcet, philosophe,
mathématicien et homme politique français
(1743-1794)

99

LA DÉMOCRATIE devrait assurer
au plus faible les mêmes
opportunités qu'au plus fort.

Mohandas Karamchand Gandhi,
apôtre national et religieux de l'Inde
(1869-1948)

100

LES CITOYENS mêmes qui ont
bien mérité de la patrie
doivent être récompensés
par des honneurs et jamais
par des privilèges : car la
République est à la veille
de sa ruine, sitôt que quelqu'un
peut penser qu'il est beau
de ne pas obéir aux lois.

Jean-Jacques Rousseau,
écrivain français (1712-1778)

101

UNE UTOPIE est une réalité
en puissance.

Édouard Herriot,
homme politique français (1872-1957)

102

LE MOT de républicain
a en lui-même un sens,
bien qu'il ne soit pas très positif,
si ce n'est qu'il est opposé
à la monarchie.

Thomas Paine,
écrivain et homme politique anglais
(1737-1809)

103

AINSI QUE le démontrent tous ceux qui ont traité de la politique, et les nombreux exemples que fournit l'histoire, il est nécessaire à celui qui établit la forme d'un État et qui lui donne des lois de supposer d'abord que tous les hommes sont méchants et disposés à faire usage de leur perversité toutes les fois qu'ils en ont la libre occasion. Si leur méchanceté reste cachée pendant un certain temps, cela provient de quelque cause inconnue que l'expérience n'a point encore dévoilée, mais que manifeste enfin le temps, appelé, avec raison, le père de toute vérité.

Nicolas Machiavel,
homme politique et écrivain italien
(1469-1527)

104

LES GRANDES RÉPARATIONS
peuvent sortir du droit ;
nous ou nos enfants pouvons
les espérer, car l'avenir n'est
interdit à personne.

Léon Gambetta,
avocat et homme politique français
(1838-1882)

105

POUR QU'ON NE PUISSE abuser
du pouvoir, il faut que par
la disposition des choses
le pouvoir arrête le pouvoir.

Charles de Secondat,
baron de La Brède et de Montesquieu,
écrivain français (1689-1755)

106

TOUT EFFORT, tout progrès
vers la justice attachent
les travailleurs de France à la
République comme à la patrie.

Léon Blum,
homme politique et écrivain français
(1872-1950)

107

Ô RÉPUBLIQUE au front
d'airain !
Ta justice doit être lasse :
Au nom du peuple souverain,
Pour la première fois,
fais grâce !

Pierre Dupont,
poète et chansonnier français
(1821-1870)

108

EN METTANT dans les mains
et dans la conscience
de chaque citoyen électeur
de la République, le gage,
la participation à cette
souveraineté, dans votre
élection, […] vous donnez
à chacun de ces citoyens le droit
et le devoir de se défendre
lui-même, en défendant
la République.

Alphonse de Prat de Lamartine,
poète et homme politique français
(1790-1869)

109

LE VOTE, ou un simple « oui »
ou « non », sont plus puissants
que les baïonnettes.

Thomas Paine,
écrivain et homme politique anglais
(1737-1809)

110

AU POINT DE VUE politique,
il n'y a qu'un seul principe,
la souveraineté de l'homme sur
lui-même. Cette souveraineté
de moi sur moi s'appelle Liberté.

Victor Hugo,
écrivain français (1802-1885)

111

L'IDÉE d'un grand peuple
se gouvernant lui-même
était si noble qu'aux heures
de difficulté et de crise elle
s'offrait à la conscience
de la nation.

Jean Jaurès, homme politique français
(1859-1914)

112

NOUS TENONS pour évidentes par elles-mêmes les vérités suivantes : tous les hommes sont créés égaux ; ils sont dotés par le Créateur de certains droits inaliénables ; parmi ces droits se trouvent la vie, la liberté, et la recherche du bonheur.

Déclaration d'indépendance américaine (1776)

113

LA RÉPUBLIQUE sera conservatrice ou elle ne sera pas.

Adolphe Thiers, homme politique, journaliste et historien français (1797-1877)

114

LES POLITIQUES qui ont trouvé
tant de moyens d'étouffer
la liberté où elle est née,
n'en ont encore trouvé aucun
pour l'empêcher de naître
et de faire explosion là où elle
ne s'est montrée jamais.

Edgar Quinet,
historien et philosophe français
(1803-1875)

115

LE VRAI CITOYEN préfère
l'avantage général à son
avantage.

François Noël dit Gracchus Babeuf,
révolutionnaire français (1760-1797)

116

LA PREMIÈRE BASE de tout édifice républicain, c'est l'instruction du peuple. Qu'est-ce en effet que la République ? C'est le gouvernement du peuple par lui-même, le *self-government*, comme disent d'un seul mot les Anglais et les Américains ; et ce gouvernement, pour être vraiment celui de tous par tous, implique nécessairement le suffrage universel. Or, pour que le peuple puisse ainsi se gouverner lui-même par le moyen du suffrage universel, [...] il faut qu'il soit instruit, éclairé.

Jules Barni, philosophe et homme politique
français (1818-1878)

117

Oui ! Je suis républicain, mais ce n'est pas le soleil de juillet qui a fait éclore en moi cette haute pensée, je le suis d'enfance, mais non pas républicain à la jarretière rouge ou bleue à ma carmagnole, pérorateur de hangar et planteur de peupliers, je suis républicain comme l'entendrait un loup-cervier, mon républicanisme, c'est la lycanthropie !

Pierre Borel d'Hauterive, dit Pétrus Borel,
écrivain français (1809-1859)

118

ON NE PEUT jamais savoir
ce qu'il peut advenir d'un
homme qui possède à la fois
une certaine conception
de ses intérêts et un fusil.

Georges Clemenceau,
homme politique français (1841-1929)

119

ON NE PEUT clairement
déterminer quelle est l'espèce
d'hommes la plus nuisible
dans une République, ou ceux
qui désirent acquérir ce qu'ils
ne possèdent pas, ou ceux
qui veulent seulement conserver
les honneurs qu'ils ont déjà
obtenus.

Nicolas Machiavel,
homme politique et écrivain italien
(1469-1527)

120

SI VOUS VOULEZ rendre l'homme capable de liberté, qu'il soit instruit.

Alphonse de Prat de Lamartine,
poète et homme politique français
(1790-1869)

121

LE PRÉSIDENT de la République ne saurait être confondu avec aucune fraction. Il doit être l'homme de la nation tout entière, exprimer et servir le seul intérêt national.

Charles de Gaulle, homme d'État français
(1890-1970)

122

SOUS LA CONSTITUTION la plus
libre, un peuple ignorant est
toujours esclave.

Marie Jean Antoine Nicolas de Caritat,
marquis de Condorcet, philosophe,
mathématicien et homme politique français
(1743-1794)

123

LA DÉMOCRATIE est un État
où le peuple souverain, guidé
par des lois qui sont son
ouvrage, fait par lui-même tout
ce qu'il peut bien faire, et par
des délégués tout ce qu'il ne
peut pas faire lui-même.

Maximilien Robespierre,
homme politique français (1758-1794)

124

LA RÉPUBLIQUE a vaincu parce qu'elle est dans la direction des hauteurs, et que l'homme ne peut s'élever sans monter vers elle.

Jean Jaurès,
homme politique français (1859-1914)

125

LA RÉPUBLIQUE n'entend plus faire de distinction dans la famille humaine. Elle n'exclut personne de son immortelle devise : liberté – égalité – fraternité.

Victor Schœlcher,
homme politique français (1804-1893)

126

DEUX FAMEUSES RÉPUBLIQUES se disputèrent l'empire du monde ; l'une était très riche, l'autre n'avait rien, et ce fut celle-ci qui détruisit l'autre.

Jean-Jacques Rousseau,
écrivain français (1712-1778)

127

JE CROIS qu'il y a des résistances honnêtes et des rébellions légitimes.

Alexis de Tocqueville,
homme politique et historien français
(1805-1859)

128

LA LOI s'efforce de réaliser le bonheur de la cité tout entière, en unissant les citoyens par la persuasion ou la contrainte.

Platon, philosophe grec
(v. 427 av. J.-C. – v. 348 ou 347 av. J.-C.)

129

CE QUI CONSTITUE la vraie démocratie, ce n'est pas de reconnaître des égaux, mais d'en faire.

Léon Gambetta,
avocat et homme politique français
(1838-1882)

130

DANS LES MONARCHIES, le bon gouvernement est le mensonge, tromper est tout le secret de l'État ; la politique des Républiques, c'est la vérité.

Camille Desmoulins,
publiciste et homme politique français
(1760-1794)

131

JE CROIS que le propre d'un bon citoyen est de préférer les paroles qui sauvent aux paroles qui plaisent.

Démosthène,
orateur et homme d'État athénien
(384 av. J.-C. – 322 av. J.-C.)

132

DANS UNE NATION qui est dans
la servitude, on travaille plus
à conserver qu'à acquérir.
Dans une nation libre,
on travaille plus à acquérir
qu'à conserver.

Charles de Secondat,
baron de La Brède et de Montesquieu,
écrivain français (1689-1755)

133

SI LE PEUPLE est souverain,
il doit exercer lui-même tout le
plus qu'il peut de souveraineté.

François Noël dit Gracchus Babeuf,
révolutionnaire français (1760-1797)

134

DANS LA RÉPUBLIQUE, tout citoyen, en faisant ce qu'il veut et rien que ce qu'il veut, participe directement à la législation et au gouvernement, comme il participe à la production et à la circulation de la richesse. Il règne et gouverne. La République est une anarchie positive.

Pierre Joseph Proudhon,
journaliste anarchiste français
(1809-1865)

135

L'HOMME est naturellement un animal politique.

Aristote, philosophe grec
(384 av. J.-C. – 322 av. J.-C.)

136

JE SUIS de la couleur de ceux
qu'on persécute
Sans aimer, sans haïr les
drapeaux différents,
Partout où l'homme souffre
il me voit dans ses rangs.
Plus une race humaine est
vaincue et flétrie,
Plus elle m'est sacrée et devient
ma patrie.

*Alphonse de Prat de Lamartine,
poète et homme politique français
(1790-1869)*

137

DE LA FORCE à l'injustice, il n'y a
qu'un pas.

*Marie Jean Antoine Nicolas de Caritat,
marquis de Condorcet, philosophe,
mathématicien et homme politique français
(1743-1794)*

138

PEUPLE, souviens-toi que si dans la République la justice ne règne pas avec un empire absolu, la liberté n'est qu'un vain nom.

Maximilien Robespierre,
homme politique français (1758-1794)

139

CHACUN DE NOUS met en commun sa personne et toute sa puissance sous la suprême direction de la volonté générale ; et nous recevons encore chaque membre comme partie indivisible du tout.

Jean-Jacques Rousseau,
écrivain français (1712-1778)

76

140

LE DESPOTISME vit d'égoïsme et de corruption, mais les Républiques en meurent.

Jules Barni,
philosophe et homme politique français
(1818-1878)

141

POUR VAINCRE ses ennemis, que faut-il ? – De l'audace, encore de l'audace et toujours de l'audace !

Georges Danton,
homme politique français (1759-1794)

142

JE SUIS UN HOMME ; je considère que rien de ce qui est humain ne m'est étranger.

Térence, poète comique latin
(v. 185 av. J.-C. – 159 av. J.-C.)

143

AUCUN HOMME n'a reçu de la
nature le droit de commander
les autres. La liberté est un
présent du ciel, et chaque
individu de la même espèce
a le droit d'en jouir aussitôt
qu'il jouit de la raison.

Denis Diderot,
écrivain français (1713-1784)

144

LA PIRE des chambres vaut
mieux que la meilleure
des antichambres.

Camillo Benso, comte de Cavour,
homme d'État italien (1810-1861)

145

ON NE PEUT donner aux gardiens de la liberté d'un État un droit plus utile et plus nécessaire que celui de pouvoir accuser, soit devant le peuple, soit devant un magistrat ou tribunal quelconque, les citoyens qui auraient commis un délit contre cette liberté.

Nicolas Machiavel,
homme politique et écrivain italien
(1469-1527)

146

UN PATRIOTE est celui qui soutient la République en masse ; quiconque la combat en détail est un traître.

Antoine de Saint-Just,
homme politique français
(1767-1794)

147

CE QUE les majorités
victorieuses ont surtout
à redouter, c'est de vouloir
toucher à tout à la fois,
au risque de tout confondre
et de tout compromettre.

Léon Gambetta,
avocat et homme politique français
(1838-1882)

148

L'ESSENCE de la justice est de ne
nuire à personne, et de veiller
à l'utilité publique.

Cicéron,
orateur et homme politique romain
(106 av. J.-C. – 43 av. J.-C.)

149

AUTANT QUE LE CIEL est éloigné
de la terre, autant le véritable
esprit d'égalité l'est-il de l'esprit
d'égalité extrême. Le premier
ne consiste point à faire en
sorte que tout le monde
commande, ou que personne
ne soit commandé : mais à obéir
et à commander à ses égaux.
Il ne cherche pas à n'avoir point
de maître, mais à n'avoir que
ses égaux pour maîtres.

Charles de Secondat,
baron de La Brède et de Montesquieu,
écrivain français (1689-1755)

150

DANS NOTRE PAYS, c'est le peuple des travailleurs qui a fondé trois fois la République, en 1792, en 1848, en 1870.

Léon Blum,
homme politique et écrivain français
(1872-1950)

151

UN BULLETIN DE VOTE est une balle. On ne vote pas tant qu'on ne voit pas la cible, et si la cible est hors d'atteinte, on garde le bulletin dans la poche.

Malcolm Little, dit Malcolm X,
homme politique américain (1925-1965)

152

DÉSORMAIS, la classe ouvrière ne peut plus se faire d'illusions sur ce qu'est la République : la forme d'État où la domination de la bourgeoisie prend son expression ultime, vraiment accomplie.

Friedrich Engels,
théoricien et militant socialiste allemand
(1820-1895)

153

LA RÉPUBLIQUE n'est pas faite pour cacher la misère du peuple mais pour la proclamer et la guérir.

Jean Jaurès,
homme politique français (1859-1914)

154

LA POLITIQUE républicaine,
c'est l'art de faire croire au
peuple qu'il est gouverné.
La politique démocratique,
l'art de lui faire croire
qu'il gouverne. La révolution,
c'est quand il le croit.

Georges Elgozy,
économiste français (1909-1989)

155

L'ÉGOÏSME et la haine ont seuls
une patrie, la fraternité
n'en a pas !

Alphonse de Prat de Lamartine,
poète et homme politique français
(1790-1869)

156

C'EST LA FORCE et la liberté qui font les excellents hommes. La faiblesse et l'esclavage n'ont jamais fait que des méchants.

Jean-Jacques Rousseau,
écrivain français (1712-1778)

157

LES RICHESSES d'une République consistent dans le nombre, dans la confiance, dans l'affection de ses alliés, et c'est en quoi vous êtes d'une extrême pauvreté.

Démosthène,
orateur et homme d'État athénien
(384 av. J.-C. – 322 av. J.-C.)

158

JE SUIS un monarchiste,
la république n'est pas le régime
qu'il faut à la France.

Charles de Gaulle,
homme d'État français (1890-1970)

159

CONSERVONS par la sagesse
ce que nous avons acquis par
l'enthousiasme, et sachons faire
aimer notre liberté républicaine
à ceux mêmes qui sont assez
malheureux pour ne pas en
connaître le sentiment.

Marie Jean Antoine Nicolas de Caritat,
marquis de Condorcet, philosophe,
mathématicien et homme politique français
(1743-1794)

160

TROP GOUVERNER
est le plus grand danger
des gouvernements.

Honoré Gabriel Riqueti,
comte de Mirabeau, homme politique
français (1749-1791)

161

IL FAUT, dans l'établissement
d'une république, embrasser
le parti le plus honorable,
et l'organiser de manière
que si la nécessité la portait
à s'agrandir, elle pût conserver
ce qu'elle aurait conquis.

Nicolas Machiavel,
homme politique et écrivain italien
(1469-1527)

162

LA RÉPUBLIQUE […] veut
des âmes en qui règnent
le sentiment de la dignité
humaine, le respect de la liberté
et des droits de chacun,
le désintéressement,
le dévouement à la chose
publique. Sans ces vertus,
sans une certaine dose au
moins de ces vertus, elle est
infailliblement condamnée
à se consumer dans l'anarchie,
laquelle appelle non moins
infailliblement le despotisme.

Jules Barni,
philosophe et homme politique français
(1818-1878)

163

UNE RÉPUBLIQUE n'est point fondée sur la vertu ; elle l'est sur l'ambition de chaque citoyen, qui contient l'ambition des autres.

*François Marie Arouet, dit Voltaire,
écrivain français (1694-1778)*

164

L'ÉNERGIE d'un côté, la douceur de l'autre ; voilà les deux armes que je veux mettre dans les mains de la République.

*Victor Hugo,
écrivain français (1802-1885)*

165

DANS UNE NATION libre,
il est très souvent indifférent
que les particuliers raisonnent
bien ou mal : il suffit qu'ils
raisonnent : de là sort la liberté
qui garantit des effets de ces
mêmes raisonnements.

Charles de Secondat,
baron de La Brède et de Montesquieu,
écrivain français (1689-1755)

166

À QUOI BON vivre, si c'est sous
la tyrannie ?

Cicéron,
orateur et homme politique romain
(106 av. J.-C. – 43 av. J.-C.)

167

C'EST DANS les écoles nationales
que l'enfant doit sucer le lait
républicain. La République est
une et indivisible. L'instruction
publique doit aussi se rapporter
à ce centre d'unité.

Georges Danton,
homme politique français (1759-1794)

168

IL N'Y A PAS de repos pour
les peuples libres ; le repos,
c'est une idée monarchique.

Georges Clemenceau,
homme politique français (1841-1929)

169

DANS LES RÉPUBLIQUES,
le peuple donne sa faveur,
jamais sa confiance.

Antoine Rivarol, dit le comte de Rivarol,
écrivain français (1753-1801)

170

LE PEUPLE, soumis aux lois, en
doit être l'auteur ; il n'appartient
qu'à ceux qui s'associent
de régler les conditions
de la société.

Jean-Jacques Rousseau,
écrivain français (1712-1778)

171

ON NE SÉPARE PAS 89 de la
république, on ne sépare pas
l'aube du soleil.

Victor Hugo,
écrivain français (1802-1885)

172

SI LE PEUPLE se trompe,
s'il se laisse aveugler par
un éblouissement de sa propre
gloire passée ; s'il se retire
de sa propre souveraineté après
le premier pas, comme effrayé
par la grandeur de l'édifice
que nous lui avons ouvert dans
sa République et des difficultés
de ses institutions ; s'il veut
abdiquer sa sûreté, sa dignité,
sa liberté [...], eh bien tant pis
pour le peuple ! Ce ne sera pas
nous, ce sera lui qui aura
manqué de persévérance
et de courage.

Alphonse de Prat de Lamartine,
poète et homme politique français
(1790-1869)

173

TOUT LE MONDE veut gouverner,
personne ne veut être citoyen.
Où donc est la cité ?

Antoine de Saint-Just,
homme politique français (1767-1794)

174

ON ENTENDAIT de continuelles
disputes entre les républicains
et les anarchistes : c'est-à-dire
entre les révolutionnaires
arrivés et les révolutionnaires
en marche.

Louis Veuillot,
journaliste et écrivain français (1813-1883)

175

LES LIMITES de la liberté
individuelle ne sont placées
qu'au point où elle commencerait
à nuire à la liberté d'autrui.
C'est à la loi à reconnaître
ces limites et à les marquer.

Abbé Sieyès,
homme politique français (1748-1836)

176

UN SÉNATEUR, c'est un député
qui s'obstine.

Robert de Jouvenel,
journaliste français (1882-1924)

177

CE N'EST PAS la République, tant
s'en faut, mais pour nous rendre
dignes de la fonder et de la
posséder enfin, sachons
au moins une bonne fois,
après tant d'expériences
malheureuses, nous conduire
tous en hommes politiques,
c'est-à-dire en hommes
patients, rusés, infatigables,
dans la défense pied à pied
de ce semblant d'institution
républicaine qu'on veut bien
nous laisser.

Léon Gambetta,
avocat et homme politique français
(1838-1882)

178

CE SERAIT FOLIE de vouloir mettre toutes les têtes sous un même bonnet. La diversité même des manifestations de la pensée est une des conditions de la recherche de la vérité.

Jules Barni,
philosophe et homme politique français
(1818-1878)

179

TOUS LES ENNEMIS de la liberté parlent contre le despotisme d'opinion, parce qu'ils préfèrent le despotisme de la force.

Maximilien Robespierre,
homme politique français (1758-1794)

180

LE FONDATEUR d'une république doit établir pour principe qu'on pourra y accuser tout citoyen, sans crainte et sans danger ; mais ce droit établi et bien observé, les calomniateurs doivent être rigoureusement punis, et ils ne pourront se plaindre de la punition.

Nicolas Machiavel,
homme politique et écrivain italien
(1469-1527)

181

LA DÉMOCRATIE est d'abord un état d'esprit.

Pierre Mendès France,
homme politique français (1907-1982)

182

IL N'Y A RIEN de si puissant
qu'une République où l'on
observe les lois non par crainte,
non par raison, mais par passion
[...] : car pour lors il se joint à la
sagesse d'un bon gouvernement
toute la force que pourrait avoir
une faction.

*Charles de Secondat,
baron de La Brède et de Montesquieu,
écrivain français (1689-1755)*

183

DE TOUTES les Républiques,
celle des lettres est, sans
contredit, la plus ridicule.

*François Marie Arouet, dit Voltaire,
écrivain français (1694-1778)*

184

L'INSURRECTION n'est point
un état moral ; elle doit être
pourtant l'état permanent
d'une République.

*Donatien Alphonse François,
comte de Sade, dit le Marquis de Sade,
écrivain français (1740-1814)*

185

POUR FAIRE un citoyen,
commençons par faire un
homme. Ouvrons des écoles
partout.

*Victor Hugo,
écrivain français (1802-1885)*

186

LA MONARCHIE fait tout dans le cabinet, dans les comités et par le seul secret ; la République, tout à la tribune, en présence du peuple et par la publicité, par ce que Marat appelait faire un grand scandale.

Camille Desmoulins,
publiciste et homme politique français
(1760-1794)

187

LA RÉPUBLIQUE n'est pas un dogme. Je dirais même que ce n'est pas une doctrine ; elle est avant tout une méthode.

Jean Jaurès,
homme politique français (1859-1914)

188

LA FRANCE n'a qu'une chance
de salut, l'amour égoïste
de tous ses enfants.

Léon Blum,
homme politique et écrivain français
(1872-1950)

189

DANS UN ÉTAT libre, le premier
soin, au moment où l'on va
consulter la nation, est d'ouvrir
toutes les voies par lesquelles
peut arriver la vérité.

Adolphe Thiers,
homme politique, journaliste
et historien français (1797-1877)

190

LORSQUE le gouvernement viole les droits du peuple, l'insurrection est, pour le peuple et pour chaque portion du peuple, le plus sacré des droits et le plus indispensable des devoirs.

Maximilien Robespierre,
homme politique français (1758-1794)

191

LA DÉMOCRATIE est une bonne fille, mais pour qu'elle soit fidèle, il faut lui faire l'amour tous les jours.

Édouard Herriot,
homme politique français (1872-1957)

192

LA RÉPUBLIQUE n'a pas besoin de savants.

Antoine Quentin Fouquier-Tinville,
magistrat et homme politique français
(1746-1795)

193

PLUS DE PRIVILÈGES, plus de distinctions de castes ou de classes, tous citoyens au même titre, telle est l'égalité dans l'État. Elle n'existe pleinement que dans la république.

Jules Barni,
philosophe et homme politique français
(1818-1878)

194

PUISQUE LE PEUPLE vote contre
le gouvernement, il faut
dissoudre le peuple.

Bertolt Brecht,
poète et auteur dramatique allemand
(1898-1956)

195

LE GOUVERNEMENT est comme
toutes les choses du monde ;
pour le conserver, il faut l'aimer.

Charles de Secondat,
baron de La Brède et de Montesquieu,
écrivain français (1689-1755)

196

Nous sommes esclaves des lois
pour pouvoir être libres.

*Cicéron,
orateur et homme politique romain
(106 av. J.-C. – 43 av. J.-C.)*

197

Que faut-il pour qu'une
nation subsiste et prospère ?
Des travaux particuliers et
des fonctions publiques.

*Abbé Sieyès,
homme politique français (1748-1836)*

198

ON NE FAIT la guerre à une
République que par deux
motifs : le premier, pour s'en
rendre maître ; le dernier, pour
l'empêcher de vous assujettir.

Nicolas Machiavel,
homme politique et écrivain italien
(1469-1527)

199

LE REPOS et la liberté me
paraissent incompatibles :
il faut opter.

Jean-Jacques Rousseau,
écrivain français (1712-1778)

200

LE DROIT ET LA LOI, telles sont
les deux forces ; de leur accord
naît l'ordre, de leur antagonisme
naissent les catastrophes.
Le droit parle et commande
du sommet des vérités, la loi
réplique du fond des réalités ;
le droit se meut dans le juste,
la loi se meut dans le possible ;
le droit est divin, la loi est
terrestre. Ainsi, la liberté, c'est
le droit ; la société, c'est la loi.

Victor Hugo,
écrivain français (1802-1885)

201

UN GRAND PEUPLE sans âme
est une vaste foule.

Alphonse de Prat de Lamartine,
poète et homme politique français
(1790-1869)

202

LE REPRÉSENTANT du peuple
ne doit obéissance et fidélité
qu'au peuple. Il doit au peuple
non seulement ses efforts, son
intelligence, mais encore sa vie.

Prosper-Olivier Lissagaray,
journaliste français (1838-1901)

203

LORSQUE le souverain pouvoir
est dans les mains d'un seul,
ce maître unique prend le nom
de roi, et cette forme de
gouvernement s'appelle royauté.
Lorsqu'il est dans les mains
de quelques hommes choisis,
c'est le gouvernement
aristocratique. Quand le peuple
dispose de tout dans l'État,
c'est le gouvernement populaire.
Chacun de ces trois
gouvernements peut, à la
condition de maintenir dans
toute sa force le lien qui a formé
les sociétés humaines, devenir,
je ne dirai pas parfait ni
excellent, mais tolérable.

Cicéron,
orateur et homme politique romain
(106 av. J.-C. – 43 av. J.-C.)

204

PAR LE SUFFRAGE universel,
vous avez fait de tous les
citoyens une assemblée de rois.

Jean Jaurès,
homme politique français (1859-1914)

205

AUX JEUNES, ne traçons pas
un seul chemin ; ouvrons-leur
toutes les routes.

Léo Lagrange,
homme politique français (1900-1940)

206

LE PRINCIPE du gouvernement
démocratique, c'est la liberté.

Aristote, philosophe grec
(384 av. J.-C. – 322 av. J.-C.)

207

LES INSTITUTIONS sont
la garantie du gouvernement
d'un peuple libre contre
la corruption des mœurs,
et la garantie du peuple et
du citoyen contre la corruption
du gouvernement.

Antoine de Saint-Just,
homme politique français (1767-1794)

208

UN PEUPLE sans instruction est
fanatique, et ce peuple fanatique
crée toujours un danger.

Ernest Renan,
écrivain et historien des religions français
(1823-1892)

209

LA SOUVERAINETÉ ne peut être représentée, par la même raison qu'elle ne peut être aliénée ; elle consiste essentiellement dans la volonté générale, et la volonté ne se représente point : elle est la même, ou elle est autre ; il n'y a point de milieu. Les députés du peuple ne sont donc ni ne peuvent être ses représentants, ils ne sont que ses commissaires ; ils ne peuvent rien conclure définitivement.

Jean-Jacques Rousseau,
écrivain français (1712-1778)

210

LA FRANCE a fait la France,
elle est fille de sa liberté.

Jules Michelet,
écrivain et historien français (1798-1874)

211

LA LIBERTÉ est l'intelligence
de la nécessité.

Baruch Spinoza,
philosophe hollandais (1632-1677)

212

L'HOMME NE PEUT ni ne doit
se donner entièrement et sans
réserve à un autre homme.

Denis Diderot,
écrivain français (1713-1784)

213

TOUTES LES FOIS qu'on verra
tout le monde tranquille dans
un État qui se donne le nom
de République, on peut être
assuré que la liberté n'y est pas.

Charles de Secondat,
baron de La Brède et de Montesquieu,
écrivain français (1689-1755)

214

TOUT POUVOIR qui prend, au lieu
de loi, la force pour appui, est
à la fin renversé par elle.

Louis Philippe,
comte de Ségur d'Aguesseau,
général et écrivain français (1753-1830)

215

LA LOI est-elle l'expression
de la volonté générale lorsque
le plus grand nombre de ceux
pour qui elle est faite ne
peuvent concourir, en aucune
manière, à sa formation ? Non.

Maximilien Robespierre,
homme politique français (1758-1794)

216

JE VEUX que la République
ait deux noms : qu'elle s'appelle
Liberté, et qu'elle s'appelle
chose publique.

Victor Hugo,
écrivain français (1802-1885)

217

LA RÉPUBLIQUE, c'est proclamer
que les hommes ne chercheront
jamais dans une dictature,
même passagère, une trêve
funeste et un lâche repos.

Jean Jaurès,
homme politique français (1859-1914)

218

ILS VEULENT ÊTRE libres
et ne savent pas être justes.

Abbé Sieyès,
homme politique français (1748-1836)

219

UNE DÉMOCRATIE doit être
une fraternité. Sinon,
c'est une imposture.

Antoine de Saint-Exupéry,
écrivain et aviateur français (1900-1944)

220

CE SONT les démocrates qui font les démocraties, c'est le citoyen qui fait la république.

Georges Bernanos,
écrivain français (1888-1948)

221

LA RÉPUBLIQUE laisse à chaque citoyen toute sa liberté d'action ; mais, pour que cette entière liberté ne dégénère pas en licence, il faut que ceux qui en jouissent sachent se gouverner eux-mêmes et respecter les droits des autres.

Jules Barni,
philosophe et homme politique français
(1818-1878)

222

OH SI MARX avait assez vécu
pour voir se vérifier en France
et en Amérique sa thèse selon
laquelle la république
démocratique n'est rien d'autre
que le terrain sur lequel se livre
la bataille décisive entre
bourgeoisie et prolétariat !

Friedrich Engels,
théoricien et militant socialiste allemand
(1820-1895)

223

GOUVERNER, c'est tendre jusqu'à
casser, tous les ressorts
du pouvoir.

Georges Clemenceau,
homme politique français (1841-1929)

224

Le caractère de la République est de ne rien dissimuler, de marcher droit au but, à découvert, d'appeler les hommes et les choses par leur nom.

Camille Desmoulins,
publiciste et homme politique français
(1760-1794)

225

Toute société qui prétend assurer aux hommes la liberté, doit commencer par leur garantir l'existence.

Léon Blum,
homme politique et écrivain français
(1872-1950)

226

LES PEUPLES, comme l'a dit
Cicéron, quoique plongés dans
l'ignorance, sont susceptibles
de comprendre la vérité, et ils
cèdent facilement lorsqu'un
homme digne de confiance
la leur dévoile.

Nicolas Machiavel,
homme politique et écrivain italien
(1469-1527)

227

LA BOURGEOISIE sans le peuple,
c'est la tête sans les bras.
Le peuple sans la bourgeoisie,
c'est la force sans la lumière.

Edgar Quinet,
historien et philosophe français
(1803-1875)

228

JE PRÉFÈRE une liberté
dangereuse plutôt qu'un
esclavage tranquille.

Jean-Jacques Rousseau,
écrivain français (1712-1778)

229

Ô RÉPUBLIQUE universelle,
Tu n'es encor que l'étincelle,
Demain, tu seras le soleil !

Victor Hugo,
écrivain français (1802-1885)

230

À LA FRATERNITÉ rien ne peut
suppléer.

Victor Hugo,
écrivain français (1802-1885)

231

LA FRATERNITÉ est un échange
perpétuel de dévouement,
de services et de reconnaissance.

Louis Philippe,
comte de Ségur d'Aguesseau,
général et écrivain français (1753-1830)

232

LA FORCE ne fait ni raison
ni droit ; mais il est peut-être
impossible de s'en passer,
pour faire respecter le droit
et la raison…

Antoine de Saint-Just,
homme politique français (1767-1794)

233

LE DON de la Troisième
République s'appelle le savoir.

Jules Ferry,
avocat et homme politique français
(1832-1893)

234

IL Y A BIEN PEU de Républiques
dans le monde, et encore
doivent-elles leur liberté à leurs
rochers ou à la mer qui les
défend. Les hommes sont très
rarement dignes de se gouverner
eux-mêmes.

François Marie Arouet, dit Voltaire,
écrivain français (1694-1778)

235

LES RÉPUBLIQUES finissent
par le luxe ; les monarchies
par la pauvreté.

Charles de Secondat,
baron de La Brède et de Montesquieu,
écrivain français (1689-1755)

236

L'ÉGALITÉ n'est donc que la
proportionnalité, et elle
n'existera d'une manière
véritable que lorsque chacun [...]
produira selon ses forces et
consommera selon ses besoins.

Louis Blanc,
historien et homme politique français
(1811-1882)

237
SANS LA RÉPUBLIQUE,
le socialisme est impuissant,
sans le socialisme,
la République est vide.

Jean Jaurès,
homme politique français (1859-1914)

238
DANS UNE NATION libre,
le seul avis qui ait de l'autorité,
c'est l'exemple.

Édouard Herriot,
homme politique français (1872-1957)

239

IL EST BIEN PLUS SIMPLE
de s'endormir sur l'oreiller
de la foi que de poursuivre
la vérité à la sueur de son front.
Il est bien plus simple
de se laisser gouverner
que de se gouverner soi-même,
peuples ou individus.
Il est bien plus simple de vivre
dans une domesticité qui
délivre le serviteur de tout souci
de l'avenir que dans une liberté
qui l'oblige sans cesse à prévoir.

Étienne Vacherot,
philosophe et homme politique français
(1809-1897)

240

DANS CE SYSTÈME, il n'y a plus
un maître, roi ou empereur,
et des sujets, mais des citoyens
également soumis à la loi
commune qu'ils se sont donnée
à eux-mêmes dans l'intérêt
de tous. Le gouvernement n'est
plus au-dessus ou en dehors
de la nation ; il se confond avec
la nation elle-même.

Jules Barni,
philosophe et homme politique français
(1818-1878)

241

LE PEUPLE est le seul censeur
de ceux qui le gouvernent.

Thomas Jefferson,
homme d'État américain (1743-1826)

242

SI L'ON RECHERCHE en quoi consiste précisément le plus grand bien de tous, qui doit être la fin de tout système de législation, on trouvera qu'il se réduit à deux objets principaux, la liberté et l'égalité.

Jean-Jacques Rousseau,
écrivain français (1712-1778)

243

LE PLUS GRAND MAL, à part l'injustice, serait que l'auteur de l'injustice ne paie pas la peine de sa faute.

Platon, philosophe grec
(v. 427 av. J.-C. – v. 348 ou 347 av. J.-C.)

244

LES TITRES ne sont que des
surnoms et tout surnom
est un titre.

Thomas Paine,
écrivain et homme politique anglais
(1737-1809)

245

« QU'EST-CE que le tiers état ?
Tout.
Qu'a-t-il été jusqu'à présent
dans l'ordre politique ?
Rien.
Que demande-t-il ?
À être quelque chose. »

Abbé Sieyès,
homme politique français (1748-1836)

246

IL Y A plus de lumière et de sagesse dans beaucoup d'hommes réunis que dans un seul.

Alexis de Tocqueville,
homme politique et historien français
(1805-1859)

247

IL NE S'AGIT PLUS de crier « Vive la République ! » mais de la vivre !

Prosper-Olivier Lissagaray,
journaliste français (1838-1901)

248

Dans une République, les familles ne sont point isolées : tous les enfants appartiennent à la patrie qui veille sur eux.

Camille Desmoulins,
publiciste et homme politique français
(1760-1794)

249

Lorsqu'un peuple brise sa monarchie pour arriver à la République, il dépasse son but par la force de projection qu'il s'est donnée.

Georges Danton,
homme politique français (1759-1794)

250

IL N'Y A PAS de liberté sans loi
et sans sanctions pour ceux qui
transgressent le droit des autres.

Georges Clemenceau,
homme politique français (1841-1929)

251

CHAQUE ÉTAT doit avoir ses
usages, au moyen desquels
le peuple puisse satisfaire
son ambition.

Nicolas Machiavel,
homme politique et écrivain italien
(1469-1527)

252

CELUI QUI VEUT conserver
sa liberté doit protéger même
ses ennemis de l'oppression ;
car, s'il ne s'y astreint pas,
il créera ainsi un précédent
qui l'atteindra un jour.

Thomas Paine,
écrivain et homme politique anglais
(1737-1809)

253

LE PREMIER des droits de
l'homme c'est la liberté
individuelle, la liberté de la
propriété, la liberté de la
pensée, la liberté du travail.

Jean Jaurès, homme politique français
(1850-1914)

254

LE CONSENTEMENT des hommes réunis en société est le fondement du pouvoir. Celui qui ne s'est établi que par la force ne peut subsister que par la force.

Denis Diderot,
écrivain français (1713-1784)

255

LES QUESTIONS de liberté de conscience ne sont pas des questions de quantité, ce sont des questions de principe.

Jules Ferry,
avocat et homme politique français
(1832-1893)

256

UN PEUPLE n'a qu'un ennemi dangereux, c'est son gouvernement.

Antoine de Saint-Just,
homme politique français (1767-1794)

257

CE QUE LA FRANCE réclame, ce n'est pas deux Chambres, c'est de savoir si on la mène à la république ou à la monarchie !

Léon Gambetta,
avocat et homme politique français
(1838-1882)

258

PEUPLES LIBRES, souvenez-vous
de cette maxime : on peut
acquérir la liberté, on ne la
recouvre jamais.

Jean-Jacques Rousseau,
écrivain français (1712-1778)

259

DE BONNES LOIS qui ont fait
qu'une République devient
grande, lui deviennent à charge
lorsqu'elle s'est agrandie.

Charles de Secondat,
baron de La Brède et de Montesquieu,
écrivain français (1689-1755)

260

S'IL EST DIFFICILE d'empêcher
de penser les peuples qui y sont
accoutumés, il est cent fois plus
difficile de forcer à penser ceux
qui l'ont oublié ou désappris.

Edgar Quinet,
historien et philosophe français
(1803-1875)

261

QUAND LE PEUPLE sera
intelligent, alors seulement
le peuple sera souverain.

Victor Hugo,
écrivain français (1802-1885)

262

PUISQUE LA LOI est le lien de la société civile, et que le droit donné par la loi est le même pour tous, il n'y a plus de droits ni de règles dans une société dont les membres ne sont pas égaux. Si l'on ne veut point admettre l'égalité des fortunes, s'il faut avouer que celle des esprits est impossible, au moins doit-on établir l'égalité des droits entre tous les citoyens d'une même république. Qu'est-ce en effet qu'une société, si ce n'est la participation à certains droits communs ?

Cicéron, orateur et homme politique romain
(106 av. J.-C. – 43 av. J.-C.)

263

L'INSTANT EST VENU de fonder
la République des égaux,
ce grand hospice ouvert à tous
les hommes. Les jours de la
restitution générale sont
arrivés. Familles gémissantes,
venez vous asseoir à la table
commune dressée par la nature
pour tous ses enfants.

Sylvain Maréchal,
écrivain et révolutionnaire français
(1750-1803)

264

JE SUIS CONCITOYEN de toute
âme qui pense ;
La vérité, c'est mon pays.

Alphonse de Prat de Lamartine,
poète et homme politique français
(1790-1869)

265

JE LE DÉCLARE sans affectation comme sans crainte, de cœur et de conviction : je suis républicain.

Godefroy Cavaignac,
homme politique français (1801-1845)

266

DIVERSES NATIONS ont divers mouvements, les unes concluent promptement ce qu'elles veulent faire, et les autres y marchent à pas de plomb. Les Républiques sont de ce dernier genre, elles vont lentement, et d'ordinaire on n'obtient pas d'elles au premier coup ce qu'on demande, mais il faut se contenter de peu, pour parvenir à davantage.

Armand Jean Du Plessis,
cardinal de Richelieu, prélat
et homme d'État français (1585-1642)

267

LA RÉPUBLIQUE est le gouvernement qui nous divise le moins.

Adolphe Thiers,
homme politique, journaliste
et historien français (1797-1877)

268

UNE LIBERTÉ OBTENUE par des moyens malhonnêtes ou par le sang des autres n'est pas la liberté.

Mohandas Karamchand Gandhi,
apôtre national et religieux de l'Inde
(1869-1948)

269

LES CONSTITUANTS de 1789 et de 1791, même les Législateurs de 1972 croyaient que la monarchie traditionnelle était l'enveloppe nécessaire de la société nouvelle. Ils ne renoncèrent à cet abri que sous les coups répétés de la trahison royale. Et quand enfin ils eurent déraciné la royauté, la République leur apparut moins comme un système prédestiné que comme le seul moyen de combler le vide laissé par la monarchie.

Jean Jaurès,
homme politique français (1859-1914)

270

LA MYSTIQUE républicaine,
c'était quand on mourait
pour la République, la politique
républicaine, c'est à présent
qu'on en vit.

Édouard Herriot,
homme politique français (1872-1957)

271

LE DROIT est le souverain
du monde.

Honoré Gabriel Riqueti,
comte de Mirabeau,
homme politique français (1749-1791)

272

IL ME SEMBLE que pour se rendre
libre, on n'a rien à faire ;
il suffit de ne pas vouloir
cesser de l'être.

Jean-Jacques Rousseau,
écrivain français (1712-1778)

273

LA DÉMOCRATIE, c'est deux loups
et un agneau votant ce qu'il y
aura au dîner. La liberté,
c'est un agneau bien armé
qui conteste le scrutin.

Benjamin Franklin,
philosophe, physicien
et homme d'État américain (1706-1790)

274

LA RÉPUBLIQUE… la corruption sans doute y paraît plus grande que dans les monarchies. Cela tient au nombre et à la diversité des gens qui sont portés au pouvoir.

*Anatole François Thibault,
dit Anatole France, écrivain français
(1844-1924)*

275

LE PEUPLE fait la révolution, le législateur fait la république.

*Albert Camus,
écrivain français (1913-1960)*

276

LES BONNES MŒURS, pour se maintenir, ont besoin de lois ; les lois, pour être observées, ont besoin de bonnes mœurs.

Nicolas Machiavel,
homme politique et écrivain italien
(1469-1527)

277

DANS LES DÉMOCRATIES, chaque génération est un peuple nouveau.

Alexis de Tocqueville,
homme politique et historien français
(1805-1859)

278

L'EXCÈS DE LIBERTÉ ne peut tourner qu'en excès de servitude pour un particulier aussi bien que pour un État.

Platon, philosophe grec
(v. 427 av. J.-C. – v. 348 ou 347 av. J.-C.)

279

LA RÉPUBLIQUE doit se construire sans cesse car nous la concevons éternellement révolutionnaire, à l'encontre de l'inégalité, de l'oppression, de la misère, de la routine des préjugés, éternellement inachevée tant qu'il reste un progrès à accomplir.

Pierre Mendès France,
homme politique français (1907-1982)

280

TOUS LES CITOYENS doivent être égaux.

*Aristote, philosophe grec
(384 av. J.-C. – 322 av. J.-C.)*

281

IL N'EST RIEN de plus doux pour l'oreille de la liberté que le tumulte et les cris d'une assemblée du peuple.

*Antoine de Saint-Just,
homme politique français (1767-1794)*

282

NOTRE LIBERTÉ dépend de la liberté de la presse, et elle ne saurait être limitée sans être perdue.

*Thomas Jefferson,
homme d'État américain (1743-1826)*

283

LA RÉPUBLIQUE est le seul remède aux maux de la monarchie et la monarchie est le seul remède aux maux de la république.

Joseph Joubert,
moraliste français (1754-1824)

284

LA ROYAUTÉ est anéantie, la noblesse et le clergé ont disparu, le règne de l'égalité commence.

Maximilien Robespierre,
homme politique français (1758-1794)

285

DANS TOUTE NATION libre, et toute nation doit être libre, il n'y a qu'une manière de terminer les différends qui s'élèvent touchant la Constitution. Ce n'est pas à des notables qu'il faut avoir recours, c'est à la nation elle-même.

Abbé Sieyès, homme politique français
(1748-1836)

286

JE NE CONÇOIS PAS une république là où la liberté de la presse n'existe point.

Camille Desmoulins,
publiciste et homme politique français
(1760-1794)

287

PAR DÉCRET de la Providence, décret lumineux qui rayonne au loin dans le progrès de l'humanité, l'Europe court vers la démocratie. La forme logique de la démocratie, c'est la république ; la république est donc dans les faits de l'avenir.

Giuseppe Mazzini,
patriote et révolutionnaire italien
(1805-1872)

288

LA POLITIQUE est l'art du possible.

Léon Gambetta,
avocat et homme politique français
(1838-1882)

289

CITOYENS, soyez humains les uns à l'égard des autres ; la pratique de cette simple maxime aplanira bien des difficultés, et, beaucoup mieux que la force armée, assurera la paix sociale. Elle doit être la vertu républicaine par excellence.

Jules Barni,
philosophe et homme politique français
(1818-1878)

290

JE NE CRAINS RIEN, je n'espère rien, je suis libre.

Níkos Kazantzákis,
écrivain grec (1883-1957)

291

J'AI TOUJOURS vigoureusement défendu le droit de chaque homme à sa propre opinion, aussi différente qu'elle puisse être de la mienne. Celui qui refuse à un autre ce droit se rend lui-même esclave de son opinion présente, car il se prive du droit d'en changer…

Thomas Paine,
écrivain et homme politique anglais
(1737-1809)

292

LA RÉPUBLIQUE affirme le droit et impose le devoir.

Victor Hugo,
écrivain français (1802-1885)

293

LES ÉCOLES doivent rester
l'asile inviolable où les querelles
des hommes ne pénètrent pas.

Jean Zay,
homme politique et résistant français
(1904-1944)

294

UNE CONSTITUTION qui,
au XIXᵉ siècle, contient une
quantité quelconque de peine
de mort, n'est pas digne
d'une République.

Victor Hugo,
écrivain français (1802-1885)

295

POUR INSTITUER une République
il ne faut qu'un seul homme.

Nicolas Machiavel,
homme politique et écrivain italien
(1469-1527)

296

LES RÉPUBLIQUES où la
naissance ne donne aucune part
au gouvernement, sont, à cet
égard, les plus heureuses ;
car le peuple peut moins envier
une autorité qu'il donne
à qui il veut, et qu'il reprend
à sa fantaisie.

Charles de Secondat,
baron de La Brède et de Montesquieu,
écrivain français (1689-1755)

297

CEUX QUI ONT conquis la liberté l'ont conquise pour tous.

Édouard Herriot,
homme politique français (1872-1957)

298

LORSQUE J'ENVISAGE et j'observe les Républiques aujourd'hui les plus florissantes, je n'y vois – Dieu me pardonne ! – qu'une certaine conspiration des riches faisant au mieux leurs affaires sous le nom et le titre fastueux de République.

Thomas More,
humaniste anglais (1478-1535)

299

DANS UNE RÉPUBLIQUE,
tous sont maîtres, et chacun
tyrannise les autres.

Johann Kaspar Schmidt,
dit Max Stirner, philosophe allemand
(1806-1856)

300

SI VOUS TROUVEZ que l'éducation
coûte cher, essayez l'ignorance.

Abraham Lincoln,
homme d'État américain (1809-1865)

301

LA LIBERTÉ finira par s'établir
dans l'ancien Monde comme dans
le Nouveau, et alors l'histoire de
nos révolutions mettra chaque
chose et chacun à sa place.

Gilbert Du Motier, marquis de La Fayette,
homme politique français (1757-1834)

302

DANS LES DISCUSSIONS qui
tiennent au bien général,
il serait plus à propos de se
taire que de s'exposer, avec
les intentions les meilleures,
à remplir l'esprit d'autrui d'idées
fausses et pernicieuses.

Denis Diderot,
écrivain français (1713-1784)

303

TOUT GRAND PROGRÈS
de l'humanité a toujours été
un enfantement laborieux.

Étienne Vacherot,
philosophe et homme politique français
(1809-1897)

304

LA RÉPUBLIQUE, il nous faut ce mot-là. Et quand ce ne serait qu'un mot, c'est quelque chose, puisque les peuples se lèvent quand il traverse l'air.

Alfred de Musset,
poète français (1810-1857)

305

UNE DICTATURE est un pays dans lequel on n'a pas besoin de passer toute une nuit devant son poste pour apprendre le résultat des élections.

Georges Clemenceau,
homme politique français (1841-1929)

306

À L'ÉGARD de l'égalité, il ne faut pas entendre par ce mot que les degrés de puissance et de richesse soient absolument les mêmes ; mais que, quant à la puissance, elle soit au-dessous de toute violence, et ne s'exerce jamais qu'en vertu du rang et des lois ; et quant à la richesse, que nul citoyen ne soit assez opulent pour en pouvoir acheter un autre, et nul assez pauvre pour être contraint de se vendre.

Jean-Jacques Rousseau,
écrivain français (1712-1778)

307

ÉTOUFFEZ toutes les haines, éloignez tous les ressentiments, soyez unis, vous serez invincibles. Serrons-nous tous autour de la République en face de l'invasion, et soyons frères. Nous vaincrons. C'est par la fraternité qu'on sauve la liberté.

Victor Hugo,
écrivain français (1802-1885)

308

UNE RÉPUBLIQUE est difficile à gouverner, lorsque chacun envie ou méprise l'autorité qu'il n'exerce pas.

Antoine de Saint-Just,
homme politique français (1767-1794)

309

LA RÉPUBLIQUE, en France, a ceci de particulier, que personne n'en veut et que tout le monde y tient.

Joseph Arthur, comte de Gobineau,
diplomate et écrivain français
(1816-1882)

310

LA RÉVOLUTION et la République sont indivisibles. L'une est la mère, l'autre est la fille. L'une est le mouvement humain qui se manifeste, l'autre est le mouvement humain qui se fixe.

Victor Hugo,
écrivain français (1802-1885)

311

LA CITÉ DÉMOCRATIQUE
est la seule où un homme libre
par sa naissance jugera digne
de s'établir.

Platon, philosophe grec
(v. 427 av. J.-C. – v. 348 ou 347 av. J.-C.)

312

TOUS LES POUVOIRS publics, sans
distinction, sont une émanation
de la volonté générale ; tous
viennent du peuple, c'est-à-dire,
de la nation. Ces deux termes
doivent être synonymes.

Abbé Sieyès,
homme politique français (1748-1836)

313

LE DÉSÉQUILIBRE entre les pauvres et les riches est la plus ancienne et la plus fatale maladie des Républiques.

Plutarque,
écrivain grec (v. 50 – v. 125)

314

LE DEVOIR du magistrat est de bien entendre qu'il représente la société, qu'il doit dans sa personne en soutenir la dignité et l'honneur, veiller au maintien des lois, faire respecter les droits des citoyens, et se souvenir que c'est là un dépôt sacré confié à sa garde.

Cicéron,
orateur et homme politique romain
(106 av. J.-C. – 43 av. J.-C.)

315

JE SUIS en république, et pour
roi j'ai moi-même.

Victor Hugo,
écrivain français (1802-1885)

316

IL IMPORTE PLUS de délibérer
sur ce qu'il faut faire que sur
ce qu'il faut dire.

Nicolas Machiavel,
homme politique et écrivain italien
(1469-1527)

317

LA DÉMOCRATIE, c'est le
gouvernement du peuple,
par le peuple, pour le peuple.

Abraham Lincoln,
homme d'État américain (1809-1865)

318

QUE LA PIQUE du peuple brise
le sceptre des rois.

Georges Danton,
homme politique français (1759-1794)

319

LA TERREUR ne réussit pas
à la démocratie, parce que la
démocratie a besoin de justice,
et que l'aristocratie et la
monarchie peuvent s'en passer.

Edgar Quinet,
historien et philosophe français
(1803-1875)

320

NOTRE LIBERTÉ ne saurait
être plus en sécurité qu'entre
les mains du peuple lui-même.

Thomas Jefferson,
homme d'État américain (1743-1826)

321

LA FRATERNITÉ [...] ne se
décrète pas, comme la liberté
ou comme l'égalité ; mais
la législation peut, au moins
par l'instruction publique,
contribuer à en développer
le sentiment dans les âmes,
et il est bon qu'elle s'en pénètre
elle-même, comme d'un parfum
salutaire.

Jules Barni,
philosophe et homme politique français
(1818-1878)

322

NOUS N'AVONS PAS besoin
de maître, mais de liberté
et d'égalité entre les hommes.

Vasil Levski,
patriote bulgare (1837-1873)

323

LE SUFFRAGE UNIVERSEL suppose
deux conditions, d'abord que
la masse des citoyens aura la
volonté du bien général, plutôt
que de ses intérêts particuliers ;
puis qu'elle aura une
connaissance du bien général
suffisante pour imprimer à la
politique une bonne direction.

Alfred Fouillée,
philosophe français (1838-1912)

324

LA SOURCE de tous nos maux,
c'est l'indépendance absolue
où les représentants se sont
mis eux-mêmes à l'égard de la
nation sans l'avoir consultée.
Ils ont reconnu la souveraineté
de la nation, et ils l'ont
anéantie. Ils n'étaient, de leur
aveu même, que les mandataires
du peuple, et ils se sont faits
souverains, c'est-à-dire despotes,
car le despotisme n'est autre
chose que l'usurpation
du pouvoir souverain.

Maximilien Robespierre,
homme politique français (1758-1794)

325

LA VOLONTÉ d'une nation
est la loi. C'est à elle seule
qu'il sied de dire : « Car tel
est notre plaisir. »

Camille Desmoulins,
publiciste et homme politique français
(1760-1794)

326

INSTITUER LA RÉPUBLIQUE,
c'est proclamer que les citoyens
des grandes nations modernes,
obligés de suffire par un travail
constant aux nécessités de la vie
privée et domestique, auront
cependant assez de temps et
de liberté d'esprit pour s'occuper
de la chose commune.

Jean Jaurès,
homme politique français (1859-1914)

327
LE GOUVERNEMENT ne peut
dépendre pour sa vie et pour
son autorité que du peuple.

Georges Pompidou,
homme d'État français (1911-1974)

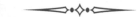

328
NOUS SOMMES FRÈRES par la vie,
égaux par la naissance et par
la mort, libres par l'âme.
Ôtez l'âme, plus de liberté.

Victor Hugo,
écrivain français (1802-1885)

329
TOUTE LOI que le peuple
en personne n'a pas ratifiée
est nulle ; ce n'est point une loi.

Jean-Jacques Rousseau,
écrivain français (1712-1778)

330

ALLEZ DIRE à votre maître que nous sommes là par la volonté du peuple, et que nous n'en sortirons que par la force des baïonnettes !

Honoré Gabriel Riqueti,
comte de Mirabeau,
homme politique français (1749-1791)

331

COMME LE DESPOTISME est l'abus de la royauté, l'anarchie est l'abus de la démocratie.

François Marie Arouet,
dit Voltaire, écrivain français
(1694-1778)

332

DISCOUREZ TANT qu'il vous plaira, sur la meilleure forme de gouvernement ; trouvez les moyens de fonder la plus sage République ; faites qu'une nation nombreuse trouve son bonheur à observer vos lois ; vous n'avez point coupé racine à la propriété, vous n'avez rien fait ; votre République tombera un jour dans l'état le plus déplorable.

Étienne-Gabriel Morelly,
philosophe français (1717-1778)

333

TOUT LE MONDE veut bien de la République ; personne ne veut de la pauvreté ni de la vertu.

Antoine de Saint-Just,
homme politique français (1767-1794)

334

UNE FOIS LIBÉRÉS, créer une
sainte et pure République où
chacun pourra vivre librement,
indépendamment de son
origine, de sa religion,
de ses convictions.

Vasil Levski,
patriote bulgare (1837-1873)

335

CEUX QUI DÉNIENT la liberté
aux autres ne la méritent pas
eux-mêmes.

Abraham Lincoln,
homme d'État américain (1809-1865)

336

OÙ L'ÉGALITÉ ne se trouve pas, il
ne peut y avoir de république.

Nicolas Machiavel,
homme politique et écrivain italien
(1469-1527)

337

LA NATION existe avant tout.
La nation est à l'origine de tout,
sa volonté est toujours légale.
La nation est la loi elle-même.

Abbé Sieyès,
homme politique français (1748-1836)

338

LE PEUPLE FRANÇAIS vote
la liberté du monde.

Antoine de Saint-Just,
homme politique français (1767-1794)

339

LA FRANCE est en état de
donner l'exemple d'un peuple
qui sait se passer de roi.

Thomas Lindet,
homme politique français (1743-1823)

340

UNE CONSTITUTION est un
acte souverain du peuple.
Le gouvernement est une
créature de la Constitution,
il est produit par elle et lui doit
son existence. Une constitution
définit et limite les pouvoirs
du gouvernement qu'elle crée.
Il s'ensuit naturellement
et logiquement que l'exercice
gouvernemental de quelque
pouvoir qui n'est pas autorisé
par la Constitution est un
pouvoir supposé et donc illégal.

Thomas Paine,
écrivain et homme politique anglais
(1737-1809)

341

IL EST PLUS FACILE de proclamer
l'égalité que de la réaliser.

Édouard Herriot,
homme politique français (1872-1957)

342

RÉSISTANCE et obéissance,
voilà les deux vertus du citoyen.
Par l'obéissance il assure
l'ordre ; par la résistance,
il assure la liberté.

Émile Chartier, dit Alain,
philosophe français (1868-1951)

343

LE PEUPLE qui a fait la
République saura la défendre.

Léon Blum,
homme politique et écrivain français
(1872-1950)

344

LA LIBERTÉ consiste, non pas
seulement dans le droit accordé,
mais dans le pouvoir donné
à l'homme d'exercer, de
développer ses facultés,
sous l'empire de la justice et
sous la sauvegarde de la loi.

Louis Blanc,
historien et homme politique français
(1811-1882)

345

LA PERVERSION de la cité
commence par la fraude
des mots.

Platon, philosophe grec
(v. 427 av. J.-C. – v. 348 ou 347 av. J.-C.)

346

POUR QU'UNE SOCIÉTÉ
d'hommes soit vraiment
humaine, il faut qu'ils se
regardent comme faisant partie,
à titre d'hommes, d'une seule et
même famille, et qu'ils s'aiment
comme des frères.

Jules Barni,
philosophe et homme politique français
(1818-1878)

347

LES VOLONTÉS particulières
sont suspectes ; elles peuvent
être bonnes ou méchantes, mais
la volonté générale est toujours
bonne : elle n'a jamais trompé,
elle ne trompera jamais.

Denis Diderot,
écrivain français (1713-1784)

348

LE PEUPLE gouverne par le vote,
c'est l'ordre, et règne par le
scrutin, c'est la paix.

Victor Hugo,
écrivain français (1802-1885)

349

LA RÉPUBLIQUE n'est qu'une
monarchie absolue, car peu
importe que le souverain
s'appelle prince ou peuple : l'un
et l'autre sont une « majesté ».

Johann Kaspar Schmidt,
dit Max Stirner, philosophe allemand
(1806-1856)

350
LE PEUPLE D'UTOPIE, grâce
à ses institutions, est le premier
de tous les peuples, et il n'existe
pas ailleurs de République
plus heureuse.

Thomas More,
humaniste anglais (1478-1535)

351
LA LIBERTÉ, c'est le bonheur,
c'est la raison, c'est l'égalité,
c'est la justice, c'est la
déclaration des droits, c'est
votre sublime Constitution.

Camille Desmoulins,
publiciste et homme politique français
(1760-1794)

352

MALHEUR À NOUS, si nous
n'avons pas la force d'être tout
à fait libres, une demi-liberté
nous ramène nécessairement
au despotisme.

Maximilien Robespierre,
homme politique français (1758-1794)

353

IL EST FACILE d'aimer
une République dont
on est le président.

Alphonse Karr,
journaliste et écrivain français (1808-1890)

354

LA CHOSE PUBLIQUE donc,
est la chose du peuple ; et par
peuple il faut entendre, non tout
assemblage d'hommes groupés
en troupeau d'une manière
quelconque, mais un groupe
nombreux d'hommes associés
les uns aux autres par leur
adhésion à une même loi et par
une certaine communauté
d'intérêts.

Cicéron,
orateur et homme politique romain
(106 av. J.-C. – 43 av. J.-C.)

355

LA RÉPUBLIQUE est jeune et fière
Elle ne punit que les bourreaux ;
Elle marche dans la lumière.
La République est un héros.

Théodore de Banville,
poète français (1823-1891)

356

LES CITOYENS qui se nomment
des représentants renoncent et
doivent renoncer à faire
eux-mêmes la loi ; ils n'ont pas
de volonté particulière à
imposer. S'ils dictaient des
volontés, la France ne serait
plus cet État représentatif ; ce
serait un État démocratique.

Abbé Sieyès,
homme politique français (1748-1836)

357

EN POLITIQUE le choix est rarement entre le bien et le mal, mais entre le pire et le moindre mal.

Nicolas Machiavel,
homme politique et écrivain italien
(1469-1527)

358

LE VRAI AMOUR de la liberté repousse le fanatisme, de quelque côté qu'il vienne. Celui qui le possède reconnaît à chacun le même droit de penser qu'il s'attribue à lui-même, et ne se montre intolérant qu'à l'égard de l'intolérance, qui supprime le droit.

Jules Barni,
philosophe et homme politique français
(1818-1878)

359

INSTITUER LA RÉPUBLIQUE,
c'est proclamer que des millions
d'hommes sauront tracer
eux-mêmes la règle commune
de leur action ; qu'ils sauront
concilier la liberté et la loi,
le mouvement et l'ordre ;
qu'ils sauront se combattre sans
se déchirer ; que leurs divisions
n'iront pas jusqu'à une fureur
chronique de guerre civile, et
qu'ils ne chercheront jamais
dans une dictature même
passagère une trêve funeste
et un lâche repos.

Jean Jaurès,
homme politique français (1859-1914)

360

LA TYRANNIE d'un prince ne met pas un État plus près de sa ruine, que l'indifférence pour le bien commun n'y met une République.

Charles de Secondat,
baron de La Brède et de Montesquieu,
écrivain français (1689-1755)

361

LA RÉPUBLIQUE serait bien ce qu'il y a de plus bête au monde, si l'anarchie n'était plus bête qu'elle encore.

Georges Moinaux,
dit Georges Courteline, écrivain français
(1858-1929)

362

LA SOUVERAINETÉ ne devrait
pas être bâtie sur la peur.
La souveraineté qui repose sur
des canons ne peut se maintenir.
Une telle souveraineté, ou
dictature, ne peut être qu'un
expédient provisoire à une
époque de bouleversement.

Mustafa Kemal Atatürk,
homme d'État turc (1881-1938)

363

L'EXPÉRIENCE PROUVE que jamais
les peuples n'ont accru leur
richesse et leur puissance sauf
sous un gouvernement libre.

Nicolas Machiavel,
homme politique et écrivain italien
(1469-1527)

364

JE N'AI JAMAIS cru que la liberté de l'homme consistât à faire ce qu'il veut, mais bien à ne jamais faire ce qu'il ne veut pas.

Jean-Jacques Rousseau,
écrivain français (1712-1778)

365

LIBERTÉ, Égalité, Fraternité.

Devise de la République française adoptée
par la Convention nationale en 1793

Dans la même collection :

- Petit recueil
de pensées chrétiennes
- Petit recueil
de pensées bouddhistes
- Petit recueil de pensées positives
- Petit recueil
de pensées africaines
- Petit recueil de pensées taoïstes
- Petit recueil
de pensées humanistes
- Petit recueil de pensées juives
- Petit recueil
de pensées hindouistes
- Petit recueil de pensées
philosophiques
- Petit recueil de pensées zen
- Petit recueil
de pensées épicuriennes
- Petit recueil
de pensées de Confucius
- Petit recueil de pensées d'artistes

- Petit recueil
de pensées de Montaigne
- Petit recueil
de pensées de Rousseau
- Petit recueil
de pensées de Voltaire
- Petit recueil
de pensées de Shakespeare
- Petit recueil des Fables
- Petit recueil de pensées utopiques
- Petit recueil de sagesse
- Petit recueil
de pensées révolutionnaires
- Petit recueil de pensées bibliques
- Petit recueil de pensées de Jésus
- Petit recueil de pensées optimistes
- Petit recueil de pensées
scientifiques
- Petit recueil de pensées
protestantes
- Petit recueil de pensées ésotériques
- Petit recueil de pensées
cartésiennes

© Éditions du Chêne – Hachette Livre, 2018.
www.editionsduchene.fr

Direction générale : Fabienne Kriegel
Responsable de projet : Fanny Delahaye,
assistée de Morgane Carmona
Direction artistique : Charles Ameline,
assisté d'Élisa Santos
Réalisation graphique et mise en page : CGI
Lecture-correction : Clémentine Bougrat
Fabrication : Liza Sacco
Partenariats et ventes directes : Ebru Kececi
(ekececi@hachette-livre.fr)
Relations presse : Hélène Maurice
(hmaurice@hachette-livre.fr)

Édité par les Éditions du Chêne
(58, rue Jean-Bleuzen - 92178 Vanves Cedex)
Achevé d'imprimer en juillet 2018
par Leo Paper en Asie
Dépôt légal : septembre 2018
ISBN 978-2-81231-809-2
80/1888/2